Índice

¡Vale! 1
de G. Gerngross, S. Peláez Santamaría, H. Puchta

© 2005 - ELI s.r.l.
Casella Postale 6 - Recanati - Italia
Tel. +39 071 750701 - Fax +39 071 977851
www.elionline.com
e-mail: info@elionline.com

Coordinación editorial: Raquel García Prieto
Ilustraciones: Elena Staiano
Proyecto gráfico y portada: Studio Oplà
Fotografía: Marka, Monina, Oliva, Olympia, Klutz Press (Face Painting - © John Cassidy)

Impreso en Italia - Tecnostampa Recanati - 04.83.271.0

ISBN 88-536-88-536-0199-X

¡Vamos a empezar!

1 Habla español en clase.

¡Vamos a empezar!

2 Escucha y canta. Colorea los bordes.

Me gusta el español

Me gusta el español,
el español me gusta.
Me gusta el español
y lo aprendo así.
¡Preparados!

Coche, ordenador, bocadillo,
pantalón, payaso, llave,
jersey, cantante, bar, radio, pastel.

¡Hola! Soy Toni, el Tigre.

3 Sigue a Toni.

4 Escucha y completa con un número.

5

1
Los números

1 Escucha y canta la canción "El rock de los números".

1, 2, 3
4, 5, 6
7, 8, 9, 10, 11
12, 12, 12, 12 en punto.
Éste es el rock de los números.

2 Escucha y canta.

El salto del tigre   Venga, haced
El salto del tigre   el salto del tigre
El salto del tigre

¡Yup¡¡¡¡¡¡¡!

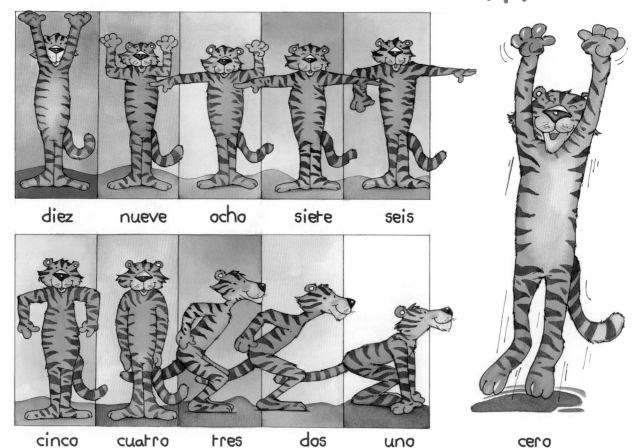

diez	nueve	ocho	siete	seis

cinco	cuatro	tres	dos	uno	cero

3 Mira y colorea los números.

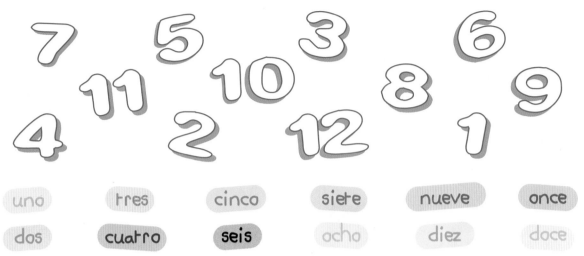

7   5   3   6
11   10   8   9
4   2   12   1

uno   tres   cinco   siete   nueve   once
dos   cuatro   seis   ocho   diez   doce

4 Escucha y empareja cada nombre con un número:
"Cada oveja con su pareja".

Pedro   María   José   Rosa

5 Juega en clase.

Te toca, Pedro.

Vale.

Seis y tres.

6 Una historia. Los caracoles.

ADIVINA EL NÚMERO.
¡GANA UN PREMIO!

Carlos, adivina el número.

¿Qué hay en la caja?

¡Caracoles!

¡Puafff! ¡Caracoles!

¿Qué hay en la caja?

¡Caracoles!

¡Caracoles! ¡Puafff!

1
Los números

7 Escucha y repite esta rima.

Uno, dos, tres, cuatro,
cinco, seis, siete,
ocho, nueve, diez,
y once.
Doce es dos más diez.
Ahora empezamos otra vez.

8 Juega.

9 Escucha y escribe los números de teléfono.

Alicia Pedro Lisa

....

10 Escribe tu número de teléfono.

Mi número de teléfono es ....

11 Pregunta a cinco chicos de la clase.

¿Cuál es tu número de teléfono?

Mi número de teléfono es 112 35 11 10.

 Nombre

....
....
....
....
....

Número de teléfono

....
....
....
....
....

2
Los Colores

1 Escucha y señala.

violeta

rosa

negro

blanco

gris

rojo

azul

amarillo

naranja

verde

2 Escucha y canta.

El arco iris

Me gusta el rojo,
me gusta el verde.
me gusta el rosa y el amarillo.

Me gusta el azul,
me gusta el gris,
me gusta el negro y el violeta.

Me gusta el naranja,
me gusta el marrón,
me gusta el blanco,
colores de esta canción.

¡Arco iris! ¡Arco iris!

3 Escucha. ¿De qué color es la casa del mago?

SALIDA

4 Niños de Europa. Colorea las banderas.

Me llamo Peter.
Yo soy
de Gran Bretaña.
Ésta es mi bandera.

Me llamo Carmen.
Yo soy de España.
Ésta es mi bandera.

Me llamo Pierre.
Yo soy de Francia.
Ésta es mi bandera.

Me llamo Chiara.
Yo soy de Italia.
Ésta es mi bandera.

1 verde
2 rojo
3 azul
4 amarillo

Ésta es la bandera
de la Unión Europea

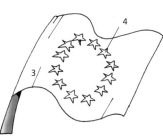

5 Una historia. Los magos.

2
LOS COLORES

6 Juega a las adivinanzas.

7 Completa los diálogos.

..........................., por favor.

Aquí está.

Rojo, ...

....

..........................., ...

.... está.

..........................., ...

....

8 Escucha el rap y rodea los colores. Después escribe el nombre de cada color.

¿Cuál es tu color favorito?

¿Es el ....?

No, no, no, no, no, no.

¿Es el ....?

No, no, no, no, no, no.

¿Es el ....?

No, no, no, no, no, no.

¿Es el ....?

No, no, no, no, no, no.

¿Es el ....?

Sí, ése es.

3
Vamos todos a clase

1 Escucha y completa con un número.

lápiz ◯

libro ◯

regla ◯

bolígrafo ◯

mochila ◯

estuche ◯

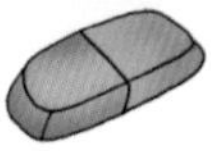

goma ◯

2 Escucha. ¿De qué color es la mochila del mago?

SALIDA

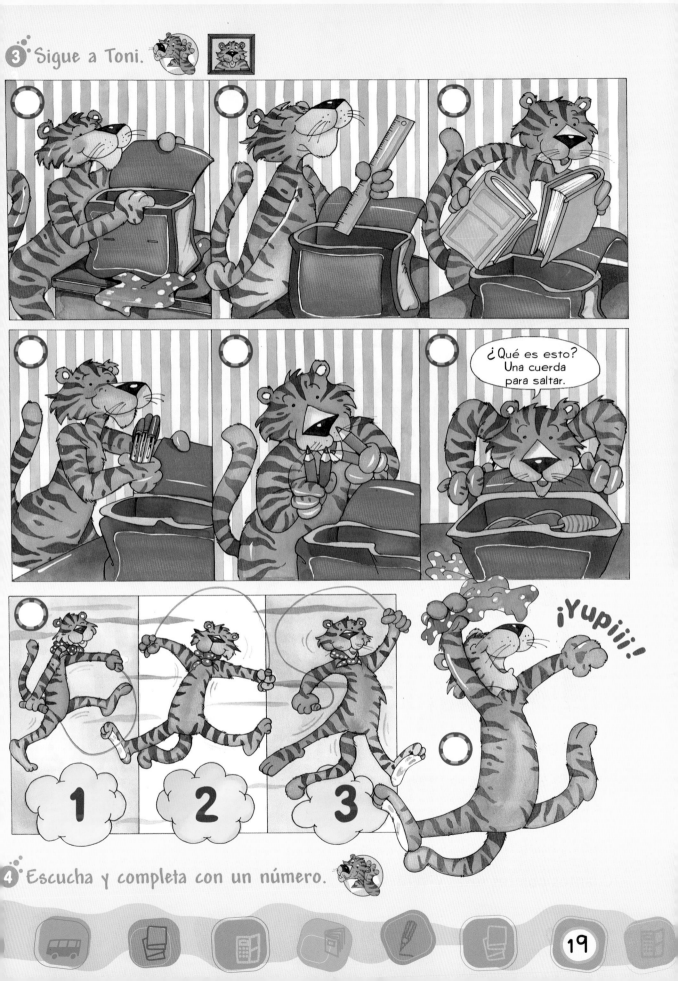

3
Vamos todos a clase

5 Lee y colorea los bordes.

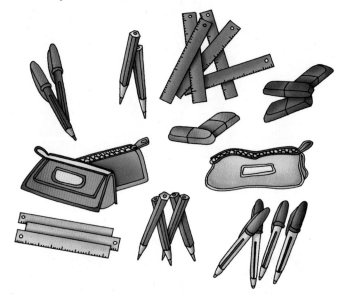

dos lápices
cinco reglas
un estuche
cuatro bolígrafos
tres gomas

6 Cuenta y escribe los números.

¿Cuántos objetos rojos hay? ....

¿Cuántos objetos naranjas hay? ....

¿Cuántos objetos azules y amarillos hay? ....

¿Cuántos objetos rosas y verdes hay? ....

7 Observa y recuerda. Cierra el libro y recuerda.

Verde.

El lápiz ...

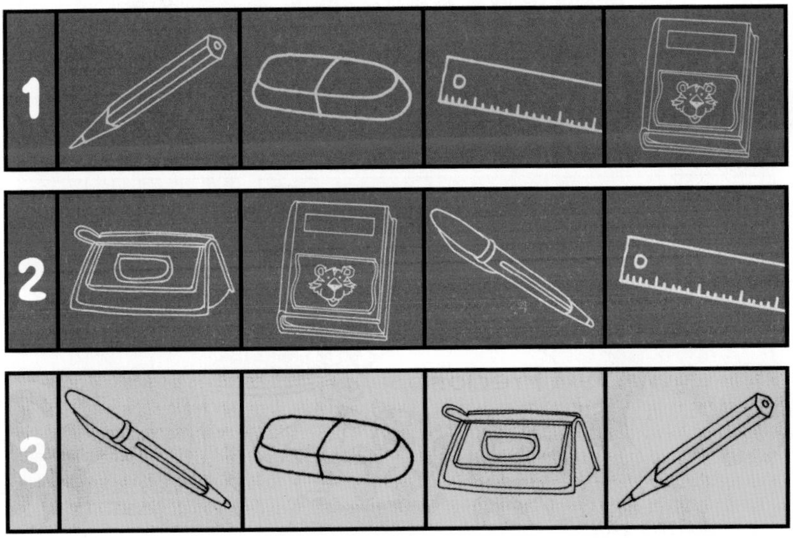

1				

2				

3				

8 Lee, dibuja y escribe.

cuatro lápices azules

dos mochilas rojas

u....................... e.......................
a.............................

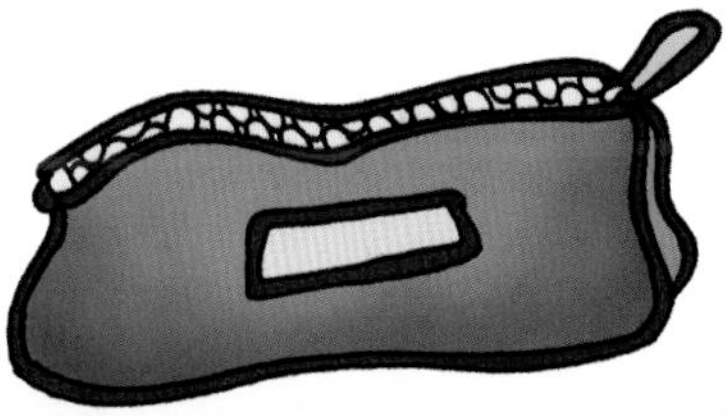

....
....

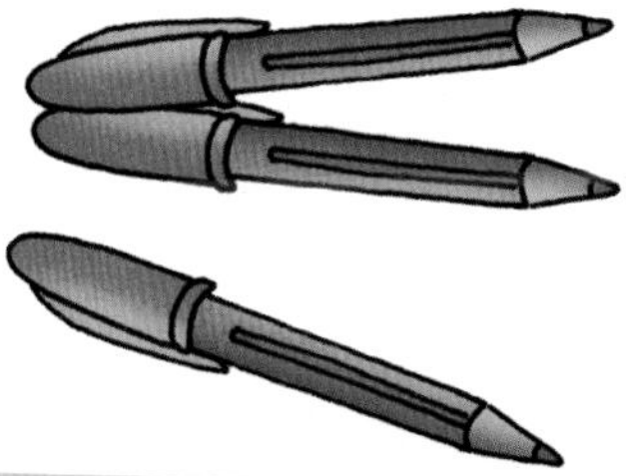

3
Vamos todos a clase

9 Una historia. Pedrito.

Pedrito, ¿dónde está mi estuche?

Pedrito... estuche... árbol...

¿¡árbol!?

Aquí no está.

¡Mamá! ¡Aquí está!

Los animales preferidos

1 Escucha y canta.

¿Tienes un animal doméstico?

Sí, tengo, sí tengo.

¿Tienes un animal doméstico?

Sí, tengo, sí tengo.

¿Qué tienes?

Una rana, un gato,

un perro y un ratón.

2 Escucha y encuentra el animal preferido del mago.

SALIDA

3 Niños de España e Hispanoamérica: sus animales.
   Escucha y señala.

Julia

Sergio

Jorge

María

4 Completa las frases.

El gato de Julia es .... y ....

.... de Sergio es .... y ....

.... de Jorge es .... y ....

.... de María es .... y ....

Los animales preferidos

4

5 Elige un animal y coloréalo. Juega.

¿Tienes un animal?

Sí, tengo uno.

¿Qué animal es?

Un pez.

¿De qué color es?

Azul, amarillo y naranja.

6 Sigue a Toni.

7 Escucha y completa con un número.

Los animales preferidos

8 ¿Cuántos animales hay? Cuenta y responde.

¿Cuántos ratones hay?

ratones	....
conejos	....
hámsters	....
perros	....
loros	....
gatos	....

Seis.

28

9 ¿Cuáles faltan?

10 La lengua en puzzle.

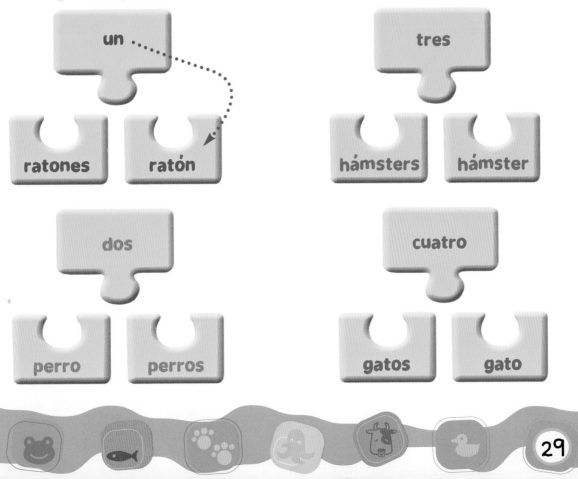

un ········ ratón

ratones

tres

hámsters   hámster

dos

perro   perros

cuatro

gatos   gato

Unidad de revisión

1 Lee y colorea los bordes.

siete   doce   ocho   once

   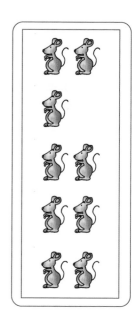

2 Escucha y une los puntos.

5

.0

.6

11

7.

.4

2.   8.

9.

10.   .3

i

12

do

3 Sopa de letras. Encuentra las palabras y coloréalas.

V	I	O	L	E	T	A	N
O	L	L	I	R	A	M	A
R	L	V	E	R	D	E	R
O	U	D	C	O	N	T	A
S	Z	A	I	J	L	E	N
A	A	Ñ	K	O	S	G	J
S	N	E	G	R	O	A	A

4 Escribe el nombre de cada color.

....

....

....

....

....

....

....

5 Escucha y completa con un número.

6 Lee, dibuja y colorea.

un lápiz verde

una goma roja

una regla rosa

una mochila azul y amarilla

7 Escribe los nombres en los recuadros.

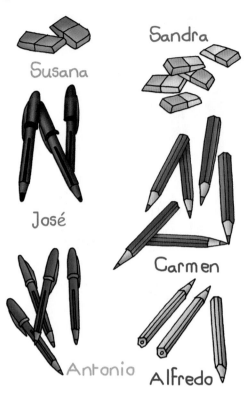

Susana

Sandra

José

Carmen

Antonio

Alfredo

cinco gomas rosas ......Sandra......

tres bolígrafos negros ....

cuatro bolígrafos azules ....

tres lápices amarillos ....

dos gomas verdes ....

seis lápices violetas ....

8 Ordena las letras y escribe el nombre correspondiente a cada dibujo.

o e j n c o

....

c e n o

....

z á p i l

....

3

s e r t

....

h o c i m a l

....

s t e r m á h

....

5

Los días de la semana

1 Escucha y canta.

Lunes, 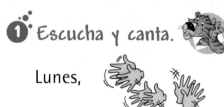 martes,

miércoles,  jueves,  viernes,

sábado un, dos, tres. Domingo, ¡ven conmigo!

2 Escucha y di el número.

3 Escucha y señala sus días favoritos.

Clara

martes

viernes

sábado

Diana

sábado

martes

jueves

José Antonio

domingo

lunes

miércoles

Francisco

jueves

viernes

domingo

4 Pregunta a los chicos de tu clase.

¿Cuál es tu día favorito?

El viernes.

Nombre

....
....
....
....
....

Día Favorito

....
....
....
....
....

5

Los días de la semana

5 Una historia. El nuevo dormitorio de Lola.

| lunes | martes | miércoles | jueves | viernes | sábado |

Los días de la semana

6 Escucha y canta. Después colorea los animales.

Lola odia el rosa

Lola, Lola. Lola odia el rosa.

El lunes pinta un loro rojo,
el martes pinta una rana azul,
el miércoles pinta un pez naranja.

Lola, Lola. Lola odia el rosa.

El jueves pinta un perro verde,
el viernes pinta un gato amarillo,
el sábado pinta un conejo violeta.
Sí, Lola odia el rosa.

Lola, Lola. Lola odia el rosa.

7 Sopa de letras. Busca los días
de la semana.

```
L U N E S M I T
É L L M O I H E
N O A Z U É S J
A G L I Á R E U
S N I J M C N E
D I M U I O R V
O M T P E L E E
L O S R R E I S
O D A B Á S V O
Ñ A M A R T E S
```

8 Adivina sus días favoritos.

Ana

I S A B E L
● ● ● ● ● ●

Benito

? ● ● ? ? ? ● ● ●

? ● ● ? ? ● ●

Francisco

Luz

● ● ● ● ? ?

? ● ? ? ● ● ●

9 ¿Y tú? Completa estas frases.

Mi día favorito es el ....

Mi animal favorito es el ....

Mi color favorito es el ....

Mi número favorito es el ....

Mi .... es ....

....

1 Escucha y señala. Después juega a un juego de memoria.

camiseta

pantalones

gorra

vestido

calcetines

jersey

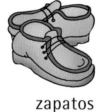
zapatos

zapatillas de deporte

camisa

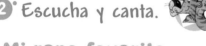
falda

pantalones cortos

jersey

2 Escucha y canta.

Mi ropa favorita

Mi camiseta favorita es azul.
Mi jersey favorito es rojo.
Mi gorra favorita es verde y blanca.
Mi juguete favorito es una cometa.

Azul y rojo,
verde y blanco,
son los colores de mi cometa.

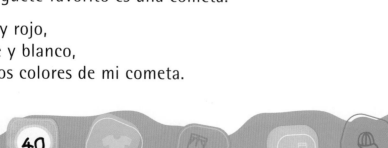

3 Sigue a Toni.

5 Escucha y escribe los nombres de los niños.

① .... ② .... ③ .... ④ ....

Pedro   Lucía   Susana   Juan   Elena   Andrés

6 ¿Verdadero o falso?

Elena lleva unos pantalones blancos.

Pedro lleva una camiseta negra.

Juan lleva unos calcetines verdes.

Susana lleva unos zapatos rojos.

Andrés lleva una gorra amarilla.

Lucía lleva un jersey rosa.

V   F

7 Lee y colorea las imágenes.

Miguel lleva una gorra verde,
una camiseta roja, pantalones verdes,
calcetines negros y zapatos marrones.

8 Colorea el dibujo
y escribe.

Rocío lleva

....

....

....

....

....

....

6
La ropa

9 Escucha y lee el poema. Tápalo. ¿Qué palabras recuerdas?

Ponte los pantalones

P   L

Ponte la camiseta

P   L

Ponte los calcetines

P   L

Ponte los zapatos

P   L

un, dos, tres, cuatro.

1   2   3   4

Vamos todos al teatro

V   T   A

10 Juega con un compañero.

¿Qué ropa llevo?

Creo que una camisa verde y unos pantalones azules...

11 Pon en orden las letras y escribe la frase. Después, dibuja y colorea.

anu atesimac ajor

una camiseta roja

uan dalaf redve

anu samica llamaria

ouns neslotapan saros

uan rorag luaz

uson pazatos rromanes

12 La lengua en puzzle.

un

una

unos

pantalones verdes

jersey rojo

gorra azul y blanca

zapatos marrones

camiseta roja

pantalones verdes

unas

una

unos

gorras blancas

falda roja y amarilla

camisa negra

vestido azul

jersey amarillo

calcetines marrones

¡Feliz cumpleaños!

1 Escucha y canta.

Cumpleaños feliz

¿Cuándo es el cumpleaños de Toni?
¿En enero, febrero, marzo?
No, no, no, no.
¿En abril, mayo o junio?
No, no, no, no.
¿Julio, agosto, septiembre?
No, no, no, no.
¿Octubre o noviembre?
No, no, no, no.
Recuerda, por favor:
Es en diciembre.

2 Escucha y señala con un círculo.
¿Cuándo es el cumpleaños de estos niños?

Sofía

febrero

abril

noviembre

Tomás

enero

junio

octubre

Carolina

marzo

mayo

julio

David

agosto

septiembre

diciembre

¡Hola!
Me llamo Cristina.
Vivo en Malaga.
Mi cumpleaños
es en abril.

Mi fiesta de cumpleaños.

Mis tarjetas de cumpleaños.

¡Feliz cumpleaños!

¡Que seas feliz!

Felicidades

¡Feliz cumpleaños!

4 Escucha y haz lo que dice la canción de cumpleaños.

Mueve los pies

En mi fiesta de cumpleaños,
lo tienes que pasar muy bien.
En mi fiesta de cumpleaños,
mueve los pies.

En mi fiesta de cumpleaños,
lo tienes que pasar muy bien,
En mi fiesta de cumpleaños,
mueve los brazos.

En mi fiesta de cumpleaños,
lo tienes que pasar muy bien,
En mi fiesta de cumpleaños,
mueve todo el cuerpo.

5 Busca los nombres de los meses en el círculo. Luego escríbelos por orden.

1. enero
2. ....
3. ....
4. ....
5. ....
6. ....

7. ....
8. ....
9. ....
10. ....
11. ....
12. ....

ENEROMAYOMARZODICIEMBREAGOSTOFEBREROABRILNOVIEMBREJULIOJUNIOOCTUBRESEPTIEMBRE

6 Haz un cuadro con los cumpleaños de tu clase.

¿Cuándo es tu cumpleaños, Lisa?

En junio

enero	....	julio	....
febrero	....	agosto	....
marzo	....	septiembre	....
abril	....	octubre	....
mayo	....	noviembre	....
junio	Lisa	diciembre	....

7 Escribe cuándo es el cumpleaños de cinco compañeros y cuándo es el tuyo.

El cumpleaños de Manolo es en junio.

El cumpleaños de Victoria es en enero.

El cumpleaños de .... es en ....

....

....

Mi ....

7

¡Feliz cumpleaños!

8 Una historia. Una tarta de cumpleaños para Paquito.

9 ¿Cuándo es el cumpleaños de estos chicos?

El cumpleaños de Jorge es en ....

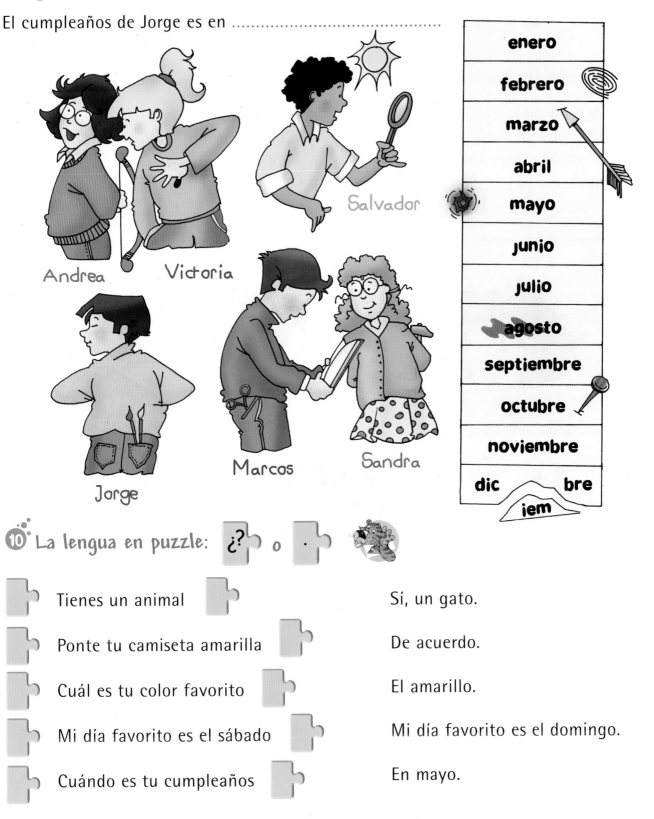

Andrea   Victoria   Salvador

Jorge   Marcos   Sandra

enero
febrero
marzo
abril
mayo
junio
julio
agosto
septiembre
octubre
noviembre
dic   bre
iem

10 La lengua en puzzle: ¿? o ·

Tienes un animal   Sí, un gato.

Ponte tu camiseta amarilla   De acuerdo.

Cuál es tu color favorito   El amarillo.

Mi día favorito es el sábado   Mi día favorito es el domingo.

Cuándo es tu cumpleaños   En mayo.

Unidad de revisión

2

1 Escribe los números en los bocadillos.

1. Abre los ojos.
2. ¿Qué hay en la caja?
3. Mi animal favorito es el gato.
4. Aquí está tu premio.
5. ¿Dónde está mi estuche?

6. Yo odio el rosa.
7. ¿Cuál es tu número de teléfono?
8. Abre la puerta.
9. Ésta es mi bandera.

② Escucha y escribe. ¿Cuál es su día favorito?

Diana

....

María

....

Juan

....

Marcos

....

③ Completa las oraciones.

Pedro   Daniel   Nicolás   Sandra

sábado   domingo   viernes   jueves

El día favorito de Pedro es el ....

El día favorito de .... es el ....

El día favorito de .... es el ....

El día favorito de .... es el ....

Unidad de revisión 2

4 Escribe el nombre de las chicas.

Sofía lleva una gorra rosa y una camiseta azul. Lleva unos pantalones rojos, unos calcetines amarillos y unos zapatos negros.

Carmen lleva una camisa azul y una gorra rosa. Lleva unos calcetines blancos, unos pantalones cortos blancos y unas zapatillas de deporte negras.

Ana lleva una gorra amarilla, un jersey rojo, unos pantalones azules, unos calcetines blancos y unas zapatillas de deporte naranjas.

Bárbara lleva una gorra amarilla. Lleva un jersey verde, unos pantalones cortos verdes, unos calcetines amarillos y unos zapatos negros.

5 Completa el crucigrama.

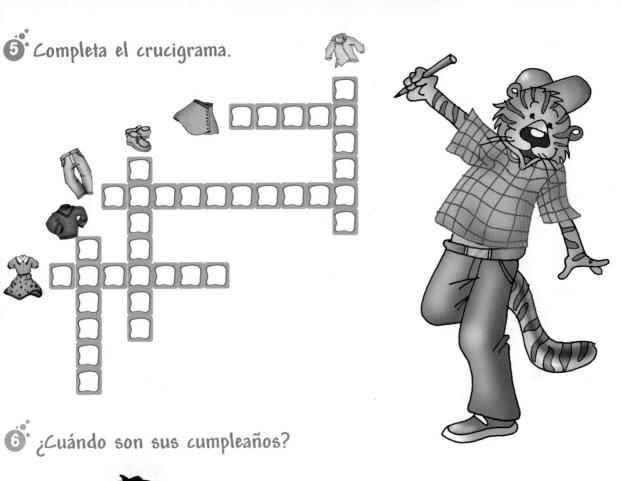

6 ¿Cuándo son sus cumpleaños?

¿ 4 3 4 ¿ 5 2 ¿ ¿

6 ¿ ¿ 4 ¿ 5 2 ¿ ¿

¿ ¿ ¿ ¿ 4 ¿ 5 2 ¿ ¿

1 2 ¿ 4 ¿

A = 1
B = 2
C = 3
I = 4
M = 5
N = 6

¿Cómo estás?

8

Escucha y completa con un número.

triste   alegre   enfadado

asustado   cansado

Escucha y haz lo que dice la canción.

Toni está muy triste, muy triste, muy triste.
Toni está muy triste y él llora.
Buaaaa, buaaa, buaaa.

Toni está alegre, alegre, alegre.
Toni está alegre y él se ríe.
Ja, ja , ja, ja, ja.

Él está enfadado, enfadado, enfadado.
Él está enfadado y él patalea.
Pom, pom, pom.

Él está cansado, cansado, cansado.
Él está cansado y él se va a dormir.
Zzzzzz, Zzzzzzz, Zzzzzzz.

3 Escucha y dibuja las caras de los niños.

Después di cómo están. Pedro está ...

Pedro   Carmen   Sofía   Tomás

Nicolás   David   Isabel   Paula

4 Un juego de cartas. Necesitas 16 cartas. p. 91

¿Tienes el ratón cansado?

Sí. Aquí tienes.

¿Tienes el ratón triste?

No lo tengo.

5 Una historia. El regalo de cumpleaños.

Feliz cumpleaños, Miguel.

Gracias, papá.

¡Bieeen!

¡Hola! Tengo un juego nuevo. ¡Vamos a jugar!

No, nosotros tenemos otro juego.

Este juego es estúpido, papá.

¡Pero, Miguel!

?

Perdona, papá. El juego no es estúpido. Yo estaba enfadado.

¡Ay, mi pequeño Miguel!

Vamos a jugar.

¡Vale!

8
¿Cómo estás?

6 Escucha y señala los números. Después juega.

Necesitas:

VEINTE
¡Sonríe!

DIECINUEVE

DIECIOCHO
Estás asustado

DIECISIETE
Estírate

DIECISÉIS

QUINCE
Estás triste

ONCE
Patalea

DOCE

TRECE
Ruge como
un tigre

CATORCE

DIEZ
Abre la
puerta

NUEVE

OCHO
Levántate.
Siéntate.

SIETE

SEIS
Toca las
palmas.

DOS
Ponte
los zapatos.

TRES

CUATRO

CINCO
Ponte
el casco.

UNO

SALIDA

7 La lengua en puzzle. Rodea el nombre correcto.

Él está enfadado	Miguel	María
Ella está triste	Benito	Susana
Él está alegre	Sergio	Rosa
Él está enfadado	Antonio	Pamela
Ella está cansada	Francisco	Ana

8 Escribe el nombre de los niños. Dibuja sus caras. Escribe frases.

Miguel   Él está asustado.

9 Pregunta a cinco compañeros. ¿Cómo estás hoy?

Nombre	¿Cómo está?

9
La comida

1 Escucha y señala.

pizza

palomitas

pollo

manzanas

helado

plátanos

espaguetis

pescado

bocadillo

queso

chocolate

zumo de naranja

refresco

leche

2 Cierra el libro. ¿Cuántas palabras puedes recordar?

3 Observa los símbolos y completa las frases.

María   Rosa   David   Julia   Simón

A María le gusta la pizza.
A Rosa le gustan los espaguetis y ....
..... David le gustan las manzanas y ....
..... Julia .... el queso.
..... Simón ....

4 Sigue a Toni.

5 Escucha y completa con un número.

9
La comida

6 Escucha y repite el rap.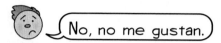

¿Te gustan las manzanas?   No, no me gustan.

¿Te gusta la leche?   No, no me gusta.

¿Te gusta el pescado?   No, no me gusta.

¿Qué te gusta entonces?   Me gusta el helado, blanco, blanco. Me gusta el helado, blanco, blanco. ¡Qué gran helado!

7 Escucha y dibuja las expresiones de los niños.

 Susana

Simón

Silvia

José

Julia

Antonio

9 Pregunta a tres chicos sobre la comida que les gusta.

¿Te gusta el pescado?

Sí, me gusta.

¿Te gusta el queso?

No, no me gusta.

😊 🙁	NOMBRE:	NOMBRE:	NOMBRE:
	••	••	••
	••	••	••
	••	••	••
	••	••	••

10 Escribe la comida que te gusta.

Alicia

Me gusta el pollo, las patatas fritas y los espaguetis. No me gusta el queso ni la leche. Mi comida favorita es la pizza y mi bebida favorita es el refresco.

11 Escucha y completa con un número.

Jorge

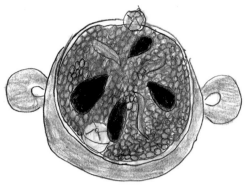

Julia

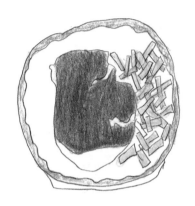

Carolina

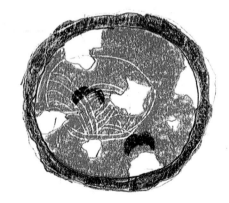

José Antonio

1 Escucha y canta. Después lee y colorea los bordes.

Mi cuerpo está in acción

Ay, qué bien, mi cuerpo se mueve así,
mueve los pies, las manos y la nariz.
¡La cabeza, atención,
también en acción!

Ay, qué bien, mi cabeza se mueve así,
mueve el pelo, las piernas y la nariz.
¡La cara, atención,
también en acción!

Ay, qué bien, mi cara se mueve así,
tócate los dientes, la boca y la nariz.
¡Atención, atención,
todo el cuerpo en acción!

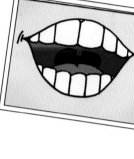

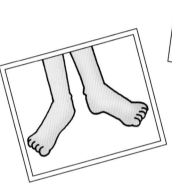

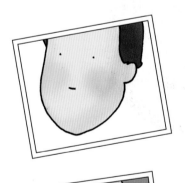

③ Observa y escribe.

una nariz grande ....

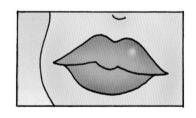  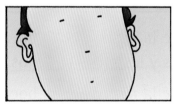

.... una ....

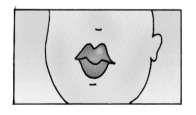  

....

69

4 Escucha y identifica a los piratas: Capitán Garfio, Capitán Piedra, Capitán Rojo, Capitán Ricachón.

1. .... 2. .... 3. .... 4. ....

5 Observa, lee y habla.

Capitán Espadito

Capitán Espadón

1. Tiene la nariz roja, la boca pequeña y rosa, las orejas pequeñas, las manos grandes y los pies pequeños.

2. Tiene la nariz roja, la boca grande y rosa, las orejas pequeñas, las manos grandes y los pies grandes.

3. Tiene la nariz rosa, la boca grande y roja, las orejas grandes, las manos grandes y los pies grandes.

4. Tiene la nariz roja, la boca grande y roja, las orejas pequeñas, las manos grandes y los pies pequeños.

El Capitán Espadón es el número ......   El Capitán Espadito es el número ......

7 Niños de España e Hispanoamérica.

Todos los años, en carnaval, los niños hacen una fiesta: se ponen un disfraz de un personaje famoso o de un animal.

ratón

tigre

conejo

cebra

Me gusta mucho la cebra. ¿Cuál te gusta a ti?

A mí me gusta el conejo.

8 Pregunta a cinco niños de tu clase.

9 Recorta las caras de las chicas. ( páginas 93 y 95)

Después pégalas aquí. Recórtalas por las líneas y pégalas sólo por la línea roja. Juega a las adivinanzas con un compañero.

Ella tiene el pelo verde, los ojos verdes, la nariz pequeña y rosa y la boca pequeña y rosa. ¿Cómo se llama?

Lole

L O L I

3
Unidad de revisión

Elige el dibujo correcto.

 ☐ Abre la puerta ☐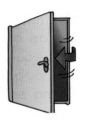

 ☐ Ponte el casco ☐

 ☐ Patalea ☐

 ☐ Estírate ☐

 ☐ Siéntate ☐

 ☐ Sonríe ☐

 ☐ Ponte el jersey ☐

2 Cada cara con su palabra.

asustado • enfadado • triste • cansado

3 Escribe frases.

No me gustan ni
la leche ni el queso.
Me gustan el pollo
y la pizza.

No me gustan ni
.... ni ....
Me gustan ....
y ....

....
....
....
....

....
....
....

Unidad de revisión

4 Escribe cada palabra en su lugar correspondiente.

el pelo	las piernas	las manos	los brazos	la boca	la cara
la nariz	los ojos		los pies	los dientes	las orejas

5 Cada oveja con su pareja.

¿Cuál es tu día favorito?

No, yo tengo otro juego.

¿Cómo te llamas?

Aquí tienes.

¡Vamos a jugar!

El viernes.

¿Cuándo es tu cumpleaños?

Pablo.

Una hamburguesa, por favor.

Sí.

¿Te gusta la pizza?

En enero.

¡Feliz navidad!

1 Escucha y canta.

Navidad

Ding, dong, dong, ding.
Dong, ding, dong, dang.
Navi Navi Navidad.
Ding, dong, dong, ding.
Dong, ding, dong, dang,
alegría, amor y paz.

Hola,
me llamo Rosa.
Mira mis fotos
de Navidad.

2 Niños de España
e Hispanoamérica.

Este es mi Belén.

Estos son mis regalos.

Me gusta escribir
postales de Navidad.

3 Construye un puzzle avideño.

Necesitas: tijeras, cartón, papel de regalo y pegamento.

1. Colorea tu puzzle navideño.

2. Recórtalo.

3. Pégalo en el cartón.

4. Recórtalo por las líneas.

5. Pon las piezas en una caja y envuélvelo.

6. Regálaselo a un amigo.

4 Felicitaciones de Navidad.

Feliz Navidad, Alicia.

Gracias, Juan. Feliz Navidad y Próspero Año Nuevo.

Los Tres Reyes Magos

1 Una historia. Los Tres Reyes Magos. Lee y escucha.

La noche del 5 de enero...
ANTES DE IR A LA CAMA

José y Daniel:	Tenemos sueño, nos vamos a la cama.
Padre, Madre:	Poned tres vasos de leche y un pastel cerca del Belén.
José y Daniel:	¿Por qué, papá?
Padre:	Para los Reyes Magos. Necesitan comer un poco. Tienen que visitar muchas casas.
José y Daniel:	Vale, papá. Aquí está. Buenas noches papá, buenas noches mamá.
Padre:	Buenas noches hijos.
Madre:	Dormid pronto.

DOS HORAS MÁS TARDE

Daniel: José... José... ¿Estás dormido?
José: No... Todavía no.
Daniel: Estoy muy nervioso.
José: Yo también, pero tenemos que dormir. Si vienen los Reyes y no estamos dormidos no hay regalos.
Daniel: ¡Buenas noches!
José: ¡Buenas noches!

A LA MAÑANA SIGUIENTE, EL DÍA DE REYES

Daniel: ¡Mira José! ¡Hay muchos regalos!
José: ¡Cuántos regalos!

Una obra musical

1 La merienda en el campo.

Escena 1: La familia desayuna

Padre:	Aquí están las tostadas.
Miguel:	Gracias, papá.
Madre:	¿Quieres zumo de naranja, Lola?
Lola:	Sí, por favor.
Pedrito:	¿Mamá?
Madre:	¿Sí?
Pedrito:	¿Podemos ir al campo hoy?
Lola y Miguel:	¡Sí! ¡Por favor! ¡Qué buena idea!
Madre:	¡De acuerdo, vale!

Lola, Miguel y Pedrito:
Nos vamos de merienda al campo. ¡Qué divertido es!
Con Lola, Miguel, Pedrito, lo pasaremos bien.
Nos vamos de merienda al campo. ¡Qué divertido es!
Con Lola, Miguel, Pedrito, lo pasaremos bien.
Nos vamos de merienda al campo. ¡Qué divertido es!
Con Lola, Miguel, Pedrito, lo pasaremos bien.

Escena 2: La familia mete las cosas en el coche.

Padre:	¿Qué llevas en la mochila, Pedrito?
Pedrito:	Galletas de chocolate.
Padre:	Y tú, Miguel, ¿qué llevas en la mochila?
Miguel:	Zumos de naranja.
Padre:	¿Cuántos hay?
Miguel:	Quince.
Padre:	Muy bien.
Madre:	Lola, ¿qué llevas en la mochila?
Lola:	Bocadillos.
Madre:	¿Cuántos hay?
Lola:	Doce.
Todos:	¡Qué bien!

Los niños:
Abre, abre, abre tu mochila,
dime, dime lo que llevas.
Galletas, galletas, galletas de chocolate.

Abre, abre, abre tu mochila,
dime, dime lo que llevas.
Quince, quince, quince zumos.
quince zumos de naranja.
Abre, abre, abre tu mochila,
dime, dime lo que llevas.

Escena 3: En el coche.

Pedrito:	Papá, un bocadillo, por favor.
Padre:	Aquí tienes.
Pedrito:	¡Uhmmmm!
Migue:	Papá, una galleta de chocolate, por favor.
Padre:	Aquí tienes.
Miguel:	¡Uhmmmm!
Lola:	Papá, un zumo de naranja, por favor.
Padre:	Aquí tienes.
Lola:	¡Uhmmmm!
Padre y Madre:	Nos vamos de merienda al campo. ¡Qué divertido es!
Los niños:	Con Lola, Miguel, Pedrito, lo pasaremos bien.
Todos:	*Nos vamos de merienda al campo. ¡Qué divertido es!*
	Con Lola, Miguel, Pedrito, lo pasaremos bien.

Escena 4: En el campo.

Madre:	¡Qué bonito!
Padre:	Sí, es maravilloso.
Todos:	

Qué día más bueno, el cielo es azul,
el campo está verde, el sol da calor.
Los pajaritos vuelan, cantar los oigo yo.
De muchos colores, las florecitas son.

Vamos de merienda, vamos de merienda
vamos de merienda al campo.
Vamos de merienda, vamos de merienda
vamos de merienda al campo.

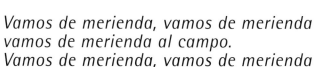

Una obra musical

Escena 5: De vuelta a casa.

Miguel, Lola y Pedrito: Estamos muy cansados.
Todos:
Qué divertido es
ir de merienda al campo.
Estamos alegres y algo cansados.
Qué bien, qué bien,
qué bien lo hemos pasado.

Escena 6: Dos días después.

Madre: Pedrito, ¿puedes abrir la puerta?
Pedrito: Ya voy, mamá.
Carteo: Esto es para vosotros.
Pedrito: ¡Oh, gracias! ¡Un regalo!
Miguel y Lola: ¡Qué bien! ¡Un regalo!
Los niños:
Ding, dong.
Un regalo, un regalo, un regalo ¡qué bien!
Un regalo para Lola, un regalo para Miguel,
un regalo para Pedrito.
Un regalo ¡qué bien! Un regalo ¡qué bien!

Padre: ¡Ábrelo!
Lola: ¡Oh, no!

Padre y Madre: ¿Qué es esto?
Lola: Mira, hay una carta.

¡Olvidásteis vuestras cosas en nuestro parque!

Vuestro guardabosques

Escena 7: El sábado siguiente.
En el campo otra vez.

Todos:
Qué día más bueno, el cielo es azul,
el campo está verde, el sol da calor.
Los pajaritos vuelan, cantar los oigo yo.
De muchos colores, las florecitas son.

Vamos de merienda, vamos de merienda
vamos de merienda al campo.
Vamos de merienda, vamos de merienda
vamos de merienda al campo.

Qué día más bueno, el cielo es azul,
el campo está verde, el sol da calor.
De merienda vamos, mi familia y yo.
Qué bien lo pasamos, todos en reunión.

Vamos de merienda, vamos de merienda
vamos de merienda al campo.
Vamos de merienda, vamos de merienda
vamos de merienda al campo.

El alfabeto español

A
árbol

B
bandera

C
casa

CH
chocolate

D
dado

E
estuche

F
falda

G
gato

H
helado

I
palomitas

J
juguete

K
rock

L
lápiz

LL
llave

M
mano

N
nariz

Ñ
España

O
ojo

P
pez

Q
queso

R
ratón

S
sol

T
tigre

U
uno

V
vestido

X
rayos **X**

Y
payaso

Z
zapato

Apéndice

Apéndice

Unidad 3 - La clase:

La clase: ....
abre: ....
árbol: ....
ayúdame por favor: ....
bolígrafo (boli): ....
cuerda para saltar: ....
¡Deja eso! ....
¿de qué color es la mochila? ....
¿dónde está mi estuche?: ....
estuche de lápices: ....
goma: ....
imita las acciones: ....
lápiz: ....
libro: ....
¿listo? ....
mochila: ....
precioso: ....
premio: ....
no está aquí: ....
regla: ....
saca: ....

Unidad 4 - Los animales preferidos:

animal doméstico: ....
come: ....
conejo: ....
corre: ....
encuentra: ....
gato: ....
hámster: ....
loro: ....
marrón: ....
nada: ....
parece un tigre: ....
perro: ....
pez: ....
rana: ....
ratón: ....
ruge: ....
sí, tengo: ....
siéntate: ....
¿tienes un animal doméstico?: .....
vuela: ....

Unidad 5 - Los días de la semana:

abre los ojos: ....
adoro los sábados: ....
cierra / cerrad los ojos: ....

¿cuál es tu día favorito?: ....
día: ....
domingo: ....
dormitorio: ....
es muy fácil: ....
jueves: ....
lunes: ....
mamá y papá: ....
martes: ....
me encanta: ....
miércoles: ....
pinta: ....
puedo quedarme en la cama: ......
sábado: ....
siempre: ....
un, una: ....
ven conmigo: ....
viernes: ....
jugamos al fútbol: ....
yo odio: ....

Unidad 6 - La ropa:

abre la puerta: ....
Ana lleva puesta una gorra: ....
apaga el despertador: ....
calcetines: ....
camisa: ....
camiseta: ....
casco: ....
cometa: ....
despertador: ....
es un chico/-a: ....
falda: ....
gorra: ....
grita: ....
jersey: ....
juguete: ....
lleva (puestos) unos pantalones blancos: ....
pantalones (cortos): ....
ponte los pantalones: ....
ponte: ....
sal de la cama: ....
teatro: ....
vestido: ....
zapatillas de deporte: ....
zapatos: ....

Unidad 7 - Feliz cumpleaños:

abracadabra: ....
abril: ....

Apéndice

agosto: ....

brazos: ....

corre hacia la casa: ....

¿cuándo es el cumpleaños de Toni?: ....

¿cuándo es tu cumpleaños?: ....

diciembre: ....

el cumpleaños de Cristina es en abril: ....

enero: ....

febrero: ....

fiesta: ....

julio: ....

junio: ....

libro de magia: ....

lo tienes que pasar muy bien: ....

marzo: ....

mayo: ....

meses del año: ....

mueve: ....

noviembre: ....

octubre: ....

pies: ....

¡qué tarta tan rica!: ....

rápido: ....

ratones: ....

recuerda: ....

rodilla: ....

sapos: ....

septiembre: ....

serpiente: ....

tarjetas de cumpleaños: ....

te deseamos todos: ....

un pastel de cumpleaños: ....

una tarta te comes: ....

yo vivo en Málaga: ....

Unidad 8 - ¿Cómo estás?:

¡Ay!: ....

alegre: ....

asustado: ....

cansado: ....

catorce: ....

cierra los ojos: ....

de acuerdo: ....

déjame en paz: ....

despierta: ....

diecinueve: ....

dieciocho: ....

dieciséis: ....

diecisiete: ....

él: ....

ella: ....

enfadado: ....

estúpido: ....

hay que ir a la escuela: ....

estaba enfadado: ....

estás enfadado: ....

levántate: ....

llora: ....

mira mi camiseta nueva: ....

patalea: ....

pero: ....

quince: ....

regalo: ....

ríe: ....

ruge: ....

se va a dormir: ....

siéntate: ....

sonríe: ....

tenemos otro juego: ....

tengo un juego nuevo: ....

trece: ....

triste: ....

vamos a jugar: ....

veinte: ....

zumo de naranja: ....

Unidad 9 - La comida:

ábrela: ....

autobús: ....

bebe: ....

bebida: ....

bocadillo (de salchichón): ....

busca una máquina de bebidas: ....

carne con patatas fritas: ....

chocolate: ....

coge la lata: ....

coged: ....

comida: ....

espaguetis: ....

está prohibido tomar helados: ....

helado: ....

leche: ....

límpiate la cara: ....

manzanas: ....

máquina de bebidas: ....

me encantan: ....

mete la mano en el bolsillo: ....

mete las monedas en la máquina: ....

monedas: ....

ni: ....

Apéndice

paella: ....

palomitas: ....

pescado: ....

pizza: ....

plátanos: ....

pollo: ....

pulsa el botón: ....

queso: ....

refresco: ....

salchichón: ....

¿te gustan las manzanas?: ....

Unidad 10 - El cuerpo:

boca: ....

¡bravo!: ....

carnaval: ....

cara: ....

cebra: ....

dientes: ....

¡enhorabuena!: ....

estupendo: ....

grande: ....

mano: ....

mi cuerpo se mueve así: ....

mi pelo entra en acción: ....

mira mi regalo: ....

mira tus piernas: ....

mueve: ....

nariz: ....

ojos: ....

orejas: ....

pelo: ....

pequeño: ....

piernas: ....

pirata: ....

se disfrazan: ....

te vas a divertir: ....

tiene los ojos verdes: ....

tócate: ....

todos los años: ....

Feliz Navidad:

amor: ....

Belén: ....

cartón: ....

colorea: ....

felicitaciones: ....

mira mis fotos: ....

paz: ....

papel de regalo: ....

pega: ....

postales de Navidad: ....

próspero Año Nuevo: ....

recorta: ....

regálaselo: ....

tijeras: ....

Los Reyes Magos:

cerca del Belén: ....

dormid pronto: ....

estoy muy nervioso: ....

familia: ....

necesitan comer: ....

tenemos que dormir: ....

tenemos sueño: ....

tienen que visitar: ....

vasos: ....

Un obra musical:

aquí están las tostadas: ....

bonito: ....

campo: ....

nota: ....

cartero: ....

cielo: ....

coche: ....

desayuno: ....

esto es para vosotros: ....

familia: ....

florecitas: ....

galleta: ....

limpio: ....

maravilloso: ....

olvidasteis vuestras cosas en nuestro pajaritos: ....

¿podemos ir al campo hoy?: ....

parque: ....

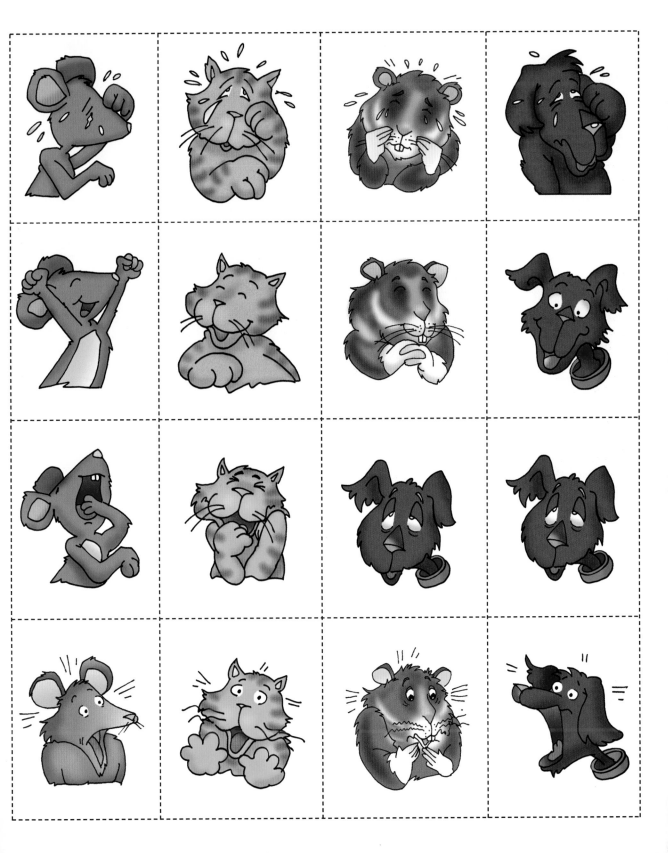

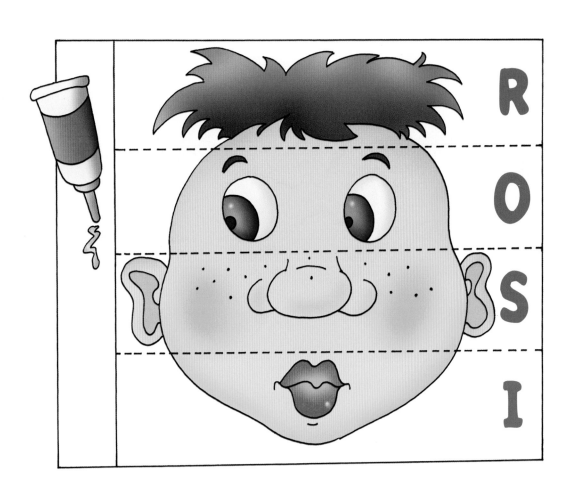

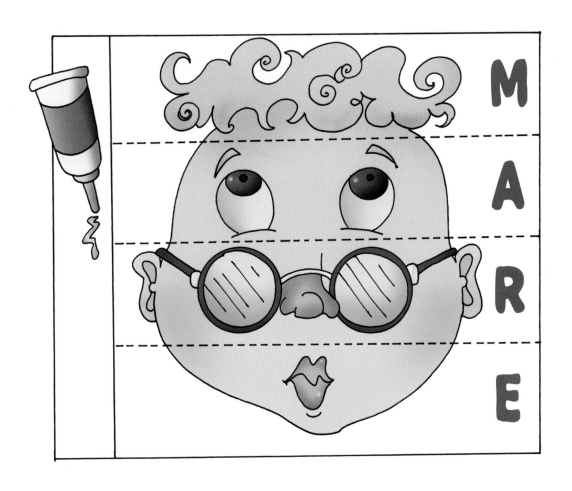

M
A
R
E